Le duel des chevaliers

Helaine Becker

**Illustrations de
Sampar**

**Texte français de
Caroline Ricard**

Éditions Scholastic

Catalogage avant publication de Bibliothèque et Archives Canada
Becker, Helaine, 1961-
[Attack by knight. Français]

Le duel des chevaliers / Helaine Becker ; illustrations de Sampar ;
texte français de Caroline Ricard.

(Étoiles de Baie-des-Coucous)
Traduction de : Attack by knight.

ISBN 0-439-94622-0

I. Sampar II. Ricard, Caroline, 1978- III. Titre. IV. Titre : Attack by
knight. Français. V. Collection : Becker, Helaine, 1961-
Étoiles de Baie-des-Coucous.

PS8553.E295532A8814 2006   jC813'.6   C2006-902749-8

Édition publiée par les Éditions Scholastic,
604, rue King Ouest, Toronto (Ontario) M5V 1E1 CANADA.

6 5 4 3 2 1   Imprimé au Canada   06 07 08 09 10

Table des matières

Chapitre 1

« Et c'est ainsi que les gens du Moyen Âge reprisaient leurs chaussettes... »

Pendant que le guide tient son monologue, Félix Michaud traîne derrière le groupe d'élèves. En temps normal, il aime bien les sorties de classe, mais ce n'est pas le cas aujourd'hui.

D'abord, il est de très mauvaise humeur. Hier, son équipe de crosse, les

Étoiles, a littéralement été écrasée par ses éternels rivaux, les Maraudeurs de Baie-Trinité. Félix n'a pas encore digéré la défaite, surtout que les Maraudeurs ont triché.

De plus, le Musée du Moyen Âge lui donne la chair de poule. L'atmosphère sombre et macabre qui y règne et tous ces objets anciens lui rappellent son emprisonnement sur le bateau des pirates.

Bref, Félix est malheureux, il s'ennuie et il a l'impression d'être pris au piège.

Mettant la main dans sa poche, il fouille pour y trouver la vieille pièce de monnaie qu'il a ramassée, un jour, à la patinoire. Il espérait que quelqu'un au musée pourrait lui en apprendre un peu plus à son sujet. Il a bien essayé d'interroger le guide, mais elle s'est mise

en colère parce qu'il avait interrompu
son discours sur la fabrication du fromage
au Moyen Âge.

Félix se sent réconforté quand il laisse
courir ses doigts sur la surface douce et
froide de l'écu. En faisant tourner la pièce

entre ses doigts, il peut sentir ses contours cabossés et le relief du lion rugissant qui orne sa face. Il est soudain ramené sur terre par les plaintes de ses camarades : le guide vient de se lancer dans un exposé sur l'élevage des porcs au Moyen Âge. « À ce rythme-là, pense Félix, je ne pourrai jamais en apprendre plus sur ma pièce. »

Au même moment, il aperçoit une porte à laquelle est suspendu un écriteau : *Employés seulement.*

Félix jette un rapide coup d'œil à M. Normand, son enseignant. Le dos tourné, celui-ci discute avec le guide des diverses races de porcs qu'on élevait au Moyen Âge. C'est l'occasion rêvée! Vite, Félix ouvre la porte et se glisse dans l'ouverture. Un autre employé du musée pourra peut-être satisfaire sa curiosité.

Le jeune garçon se retrouve dans un couloir humide où règne une odeur de moisi. Des rangées d'armures ternies montent la garde de chaque côté. Alors qu'il avance entre elles, Félix a

l'impression que les fentes de vision des casques lui font des clins d'œil. Pour se rassurer, il serre bien fort sa pièce de monnaie.

Il se demande comment on pouvait se sentir dans une armure aussi lourde. « Je ne me plaindrai plus jamais de mes jambières de crosse », pense-t-il.

S'arrêtant devant une armure dont le gant tient une hache de guerre, il peut

presque entendre le résonnement qu'aurait produit l'arme en frappant l'ennemi.

Pour s'amuser, Félix fait semblant de donner un coup d'épée dans la direction de l'armure.

— Prends ça, espèce de boîte de sardines! s'écrie-t-il en riant.

Une voix d'outre-tombe s'élève aussitôt :

— Je te prie de cesser tes pitreries!

La voix provient de l'armure!

— Ça alors! s'étrangle Félix. Vous êtes vivant!

— Bien sûr que je suis vivant! rétorque le chevalier. Penses-tu, jeune homme, qu'une armure puisse marcher et parler d'elle-même?

— N-Non, bégaie Félix. Mais je ne m'attendais pas à y trouver quelqu'un. Les

armures font partie de l'exposition après
tout. Je n'aurais pas pensé qu'on avait le
droit d'y jouer.

— *Jouer!* Tu as devant toi sire Norbert
de Roberval, chevalier de la reine. J'ai

vaincu des armées entières, assiégé des royaumes puissants et conquis d'immenses contrées au nom de Sa Majesté. Je ne joue *jamais!*

Levant la visière de son casque, il dévoile un regard farouche.

— D'ailleurs, j'étais engagé dans un duel sans merci, quand...

Il s'interrompt, puis continue à voix basse :

— C'est étrange... Je n'arrive pas à me rappeler ce qui est arrivé ensuite. La dernière chose dont je me souviens, c'était sire Hugues fonçant vers moi sur son étalon...

— Et j'allais te donner une bonne leçon, crétin! éclate une autre voix derrière Félix.

Se retournant, le jeune garçon voit un autre chevalier qui marche vers eux avec détermination, menaçant sire Norbert de son épée. Une plainte s'échappe de la bouche de Félix. Voilà que ça recommence!

Chapitre 2

S'arrêtant devant Félix, le second chevalier abaisse son épée. Le jeune garçon n'en croit pas ses yeux. La dernière fois, c'étaient des pirates; maintenant ce sont des chevaliers! Pourquoi le passé ne peut-il pas rester... dans le passé? Félix tente de se consoler en se disant que les chevaliers empestent moins que les pirates. Et ils n'ont pas menacé de le kidnapper. Du moins, pas encore...

— Hugues! s'écrie sire Norbert.

— Pensais-tu pouvoir m'échapper en usant de magie et de pratiques déloyales? Je t'avais bien en vue, puis tu t'es subitement volatilisé. Et voilà que je me retrouve ici, en ce lieu étrange...

Sire Hugues jette un regard furieux à Félix et aux armures qui les entourent.

— Mais qu'importe! Je te tiens désormais! lance-t-il en brandissant de nouveau son épée.

— Attention! crie Félix. Rangez cette épée. Vous pourriez blesser quelqu'un!

— C'est bien là son intention, mon garçon, siffle sire Norbert.

Félix réfléchit rapidement.

— Selon les règles d'engagement en vigueur ici, il est interdit de dégainer des armes sur la propriété du musée, sans

permission écrite.

— Vraiment? fait sire Hugues en
rengainant son épée. Alors, où puis-je
emmener cette tête-à-claques pour le
transpercer et l'écarteler?

— Vous ne pouvez pas *écarteler* qui
que ce soit, dit Félix. Les choses ont
changé un peu depuis que vous êtes...
euh... parti.

Sire Hugues toise Félix.

— Parti? Si tu sais comment nous sommes arrivés ici, jeune gringalet, parle immédiatement!

— Je l'ignore, s'empresse de répondre Félix. Des choses bizarres semblent m'arriver dernièrement. Il y a une minute, je suis entré dans cette pièce et *pouf!* (Il claque des doigts.) Des armures vides depuis des siècles prennent vie. Vous devez bien avoir plus de 500 ans, tous les deux! Je ne sais vraiment pas comment vous êtes arrivés ici.

— Et *ici*, c'est où? demande sire Hugues.

— Au Musée du Moyen Âge de Port-Neuf, au XXIe siècle, répond Félix.

— Je n'ai jamais entendu parler de ce Port-Neuf, intervient sire Norbert. Est-ce que les hivers y sont doux? L'Angleterre est parfois si humide...

— Assez! rugit sire Hugues. Je me fiche de savoir quand et où nous sommes. Tout ce que je souhaite, c'est te transpercer! Alors toi, mon garçon... Au fait, comment t'appelle-t-on? demande-t-il en se tournant vers Félix.

— Félix Michaud, sire.

— Ha! dit Sire Norbert, un membre de la famille Michaud. Je connais certains de tes lointains parents : Gustave de Chienchaud, Auguste de Painchaud, sire Godefroy de Réchaud...

Sire Hugues l'interrompt brusquement :

— Michaud, je t'ordonne de nous conduire immédiatement au champ de bataille.

À cet instant, Félix entend une porte claquer.

— Oh non! fait-il. Personne ne doit vous voir ici. Restez immobiles et taisez-vous, ajoute-t-il en poussant sire Norbert contre le mur.

— Je ne me suis jamais caché de qui que ce soit! rétorque sire Hugues. Et ce n'est pas maintenant que je vais comm...

— Chut! siffle Félix. Vous feriez bien de m'écouter. Si vous dites à quelqu'un

que vous êtes des chevaliers du Moyen Âge, ils vous enfermeront! Maintenant, attendez-moi ici. Si vous êtes sages, je promets de vous conduire à un endroit où vous pourrez vous taper dessus autant que vous le voudrez.

Une autre porte claque, puis des voix résonnent. Félix fixe sire Hugues jusqu'à ce que celui-ci reprenne sa place contre le mur. Puis le jeune garçon retourne discrètement dans le musée.

Chapitre
3

— Où étais-tu? murmure Nathan
Villeneuve quand Félix se glisse près de
lui.

La visite vient tout juste de se
terminer.

— Tu ne le croiras jamais... commence
Félix.

— Tu me raconteras ça plus tard, dit
Nathan en désignant la porte.

Un nouveau groupe d'élèves s'avance dans le musée. Félix et Nathan voient, parmi eux, trois garçons qu'ils ne connaissent que trop bien : Simon Sanscœur et ses deux acolytes, Sébastien Tremblay et Éric Giguère, les joueurs étoiles des Maraudeurs de Baie-Trinité.

— On va avoir des ennuis, déclare
Félix, la gorge serrée.

Quelques instants plus tard, Simon et
ses amis remarquent, à leur tour, les
jeunes de Baie-des-Coucous et s'avancent
vers eux. Simon se cogne contre Laurie
Crochet, qui tombe à genoux.

— Excuse-moi, Capitaine Crochet,
ricane Simon. On dirait qu'il est aussi

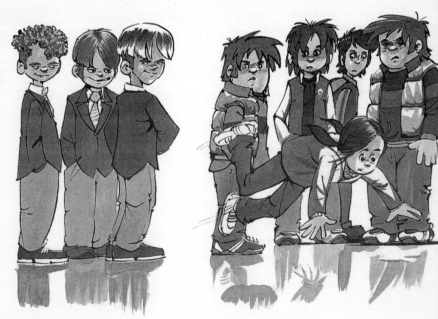

facile de te jeter par terre ici que sur le terrain de crosse.

Laurie jette un regard mauvais dans sa direction.

— Vous vous montrez aussi hypocrites ici que pendant les parties. Vous vous croyez bons parce que vous avez triché pour gagner le match d'hier. Nous vous aurions battus à plates coutures si vous n'aviez pas fait de coups illégaux pendant que l'arbitre avait le dos tourné.

— Aaah, la pauv' p'tite Laurie qui ne voulait pas salir sa robe, se moque Simon.

Sébastien et Éric pouffent de rire.

Félix intervient.

— Laurie a raison. Vous avez triché et vous ne méritiez pas de gagner.

— Vraiment? Et vous, je suppose que vous le méritiez?

— Bien sûr, répond Audrey Bourgeois

en se joignant à la discussion.

— Nous pouvons vous battre sans aucun problème en respectant les règles du jeu, renchérit Laurie.

— Est-ce un défi? Ou êtes-vous seulement des mauvais perdants? demande Simon.

— Qu'en pensez-vous, les gars? Est-ce que c'est un défi?

Laurie regarde Audrey, puis Félix et Nathan. Tous approuvent de la tête.

— Où et quand? demande-t-elle à Simon.

— Après l'école, dans votre aréna, siffle ce dernier. Préparez-vous à avoir mal. Encore une fois...

Chapitre 4

Pendant que M. Normand reconduit ses
élèves à l'autobus, la panique s'empare de
Félix. Avec toute l'excitation au sujet du
match à venir, il n'a toujours pas trouvé
de solution au problème de sire Hugues
et sire Norbert.

— Euh... j'ai quelque chose
d'important à faire, dit-il à ses amis.
Pouvez-vous me couvrir?

— Félix, il faut que tu reviennes avec nous! s'écrie Audrey en lui jetant un regard paniqué. Ta mère nous a dit qu'elle nous transformerait tous en chair à saucisse si tu disparaissais encore une fois.

— Ne vous en faites pas. Je serai à l'aréna des pirates pour 16 h. Je vous le promets.

Félix retourne vite au musée avant que ses amis puissent l'en empêcher.

Lorsqu'il arrive à la porte de la partie réservée aux employés, il s'arrête, jette un coup d'œil autour de lui et pénètre dans le couloir. Marchant entre les armures, il s'aperçoit que deux d'entre elles ont disparu.

Les chevaliers seraient-ils

retournés d'où ils sont venus? Félix se croise les doigts et appelle :

— Sire Norbert? Sire Hugues? Hé! les boîtes de conserve rouillées, vous êtes ici?

Silence. Un large sourire éclaire le visage du jeune garçon.

Il se précipite hors du musée, mais voit l'autobus disparaître à l'horizon. Il est condamné à une longue marche, mais est trop soulagé pour s'en soucier.

En s'engageant dans la longue allée devant le musée, Félix se met à siffloter joyeusement. C'est alors qu'il entend un cri. Décidant de l'ignorer, Félix siffle plus fort. Puis retentissent une série de bruits métalliques. Félix siffle encore plus fort.

Peu après, le jeune garçon entend quelque chose qui ressemble étrangement à un cri de guerre et à des épées qui se heurtent. Comme il ne peut pas siffler plus fort, il pousse un long soupir et va voir ce qui se passe.

Et là, dans une clairière tout près de

l'allée, il voit qu'une bataille féroce fait rage.

— Prends ça, espèce de vieille tête de bouc!

Bong! L'épée de sire Norbert rencontre celle de sire Hugues.

— Ah! Est-ce là tout ce que tu sais faire, tête de mule? se moque sire Hugues.

Sire Norbert fait un mouvement brusque vers son adversaire, mais ce dernier pare facilement l'attaque, et sire Norbert tombe de tout son long dans la poussière.

La bataille n'est peut-être pas aussi féroce que Félix l'avait cru.

— Rustre! Porcelet boutonneux! s'écrie sire Norbert.

Il roule sur le sol, tentant de se relever.
Félix se décide enfin à intervenir :

— Eh! Je vous avais dit de rester où
vous étiez. Je vous signale que vous êtes
toujours sur la propriété du musée et que
les duels y sont interdits.

— Mon honneur ne me permet pas de
rester les bras croisés tant que ce
misérable imbécile est en vie, rétorque
sire Hughes. Maintenant, tasse-toi, petit
impertinent.

Le chevalier lève son arme tandis que
sire Norbert tente, de peine et de misère,
de se remettre sur pied.

— Je suis désolé de contrevenir aux
lois, Michaud, s'excuse sire Norbert. Mais
on m'a lancé un défi et je ne peux pas
me dérober.

Un défi?

— Attendez! s'écrie Félix. Je crois que

j'ai une idée.

Après tout, il sait ce que c'est que de vouloir sauver son honneur à tout prix. Et lui non plus n'a jamais aimé se dérober.

— Je connais un moyen de poursuivre votre duel dans les règles. Mais vous devez me suivre.

— Tu peux nous aider à régler notre différend? demande sire Norbert. Comment?

Félix sourit.

— Connaissez-vous la crosse?

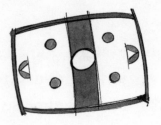

Chapitre
5

Il est 15 h 45, et les classes sont finies
pour la journée.

Les Étoiles de Baie-des-Coucous et les
Maraudeurs de Baie-Trinité sont déjà à
l'aréna, à faire leurs exercices. Les
coéquipiers de Félix s'inquiètent à son
sujet et se demandent ce que dira sa
mère si jamais il ne réapparaît pas au plus
vite.

C'est Nathan qui l'aperçoit le premier.
Puis il voit les chevaliers.

— Eh, les amis! Félix arrive... et il n'est
pas seul.

Étonnés, les Étoiles et les Maraudeurs
regardent Félix et ses compagnons faire
leur entrée dans l'aréna.

La marche jusque-là a été très longue.
Les véhicules roulant près d'eux n'ont
pas arrêté de klaxonner en voyant Félix
et les chevaliers. Le premier a été une
semi-remorque. En l'apercevant, sire
Norbert s'est jeté dans le fossé, croyant
qu'il avait affaire à un dragon. Sire
Hugues, lui, s'est lancé à la poursuite du
camion dans l'intention de lui transpercer
le ventre!

— Voici notre aréna, annonce Félix
aux deux hommes.

— Est-ce comme une arène de

combat? Ou un terrain de duel? demande sire Norbert.

— Presque, répond Félix.

— Ah, ah! s'écrie sire Hugues. Je peux enfin te lancer un défi pour que nous nous engagions dans un duel à mort.

— Et encore une fois, j'accepte ton

défi, sanglier sans tête, réplique sire Norbert.

En parlant, ils ont atteint le banc des Étoiles. Pendant que les chevaliers s'insultent, Félix rassemble ses amis et leur explique rapidement ce qui est arrivé au musée. Les Étoiles, qui ont déjà

joué un match de hockey contre des pirates dans le but de libérer leur ami, ne sont pas vraiment surpris. Félix leur explique le plan qu'il a élaboré pour régler la querelle des chevaliers.

Puis les amis se séparent et Laurie marche vers sire Hughes et sire Norbert.

— Écoutez, vous deux. Nous ne combattons plus à mort de nos jours.

— Alors, comment réglez-vous les questions d'honneur? demande sire Hugues.

— En jouant, réplique Laurie. Pour voir qui sera le gagnant. En ce moment, c'est la saison de la crosse. Nous sommes en rivalité avec d'autres écoles et nous disputons des matchs contre elles. La victoire donne le droit de se vanter et de recevoir un trophée.

— Cet après-midi, ajoute Nathan, nous avons défié Simon Sanscœur et sa bande de l'école de Baie-Trinité à un nouveau match. Nous commençons bientôt. Nous jouerons quatre quarts de 10 minutes. En cas d'égalité, il y aura une période de prolongation pour savoir laquelle des équipes sera éliminée.

Sire Hugues se redresse.

— Ah! Il existe donc vraiment une forme de duel et d'élimination. J'en suis bien aise.

— Il veut seulement dire que l'équipe contre laquelle un but sera marqué en période supplémentaire perdra la partie, explique Félix.

— Pffff, souffle sire Hugues.

— Donc, ce que tu dis, c'est que vous remplacez les duels à l'épée par ce jeu de crosse qui se joue jusqu'à l'élimination de l'une des équipes? demande sire Norbert.

Félix acquiesce.

— Et quelles sont les règles du jeu?

— C'est très simple, dit Laurie.

Prenant un crayon et un bout de papier dans son sac, elle dessine un

terrain de jeu et un bâton
de crosse.

— Le but du jeu est
de marquer des points
en lançant la balle
dans le filet de
l'équipe adverse.

Vous devez utiliser le panier au bout de votre bâton pour transporter et lancer la balle. Vous ne devez pas toucher la balle avec les mains.

— Et l'autre bout du bâton sert à frapper la tête de son ennemi? demande sire Hugues, plein d'espoir.

— Non! répond sèchement Laurie. Écoutez donc mes explications!

— Navré, répond sire Hugues.

— Le gardien protège le filet, continue Laurie. Cinq joueurs de champ le défendent contre les attaques de l'autre équipe. Les attaquants montent vers le filet en se passant la balle, jusqu'à ce que l'un d'entre eux puisse faire un tir au but. Si les défenseurs réussissent à arrêter les attaquants et à s'emparer de la balle, ils vont, à leur tour, attaquer le filet de l'autre équipe. C'est clair, jusqu'à maintenant?

Les deux chevaliers hochent la tête.

— Parfait. L'équipe gagnante est celle qui marque le plus de buts avant que le temps soit écoulé.

— Et vous nous autorisez à nous joindre à vos équipes? demande sire Norbert.

Félix regarde ses amis.

— Il va falloir demander aux Maraudeurs s'ils veulent que l'un d'eux se joignent à leur équipe.

— Tenez-le pour fait, dit Nathan en se dirigeant vers les Maraudeurs pour leur expliquer la situation.

En fait, il invente plutôt une histoire,

puisqu'ils ne croiraient jamais la vérité...

— Et voilà, déclare Félix en se tournant vers les chevaliers. Maintenant, vous pouvez nous aider à régler notre différend et nous, nous vous aiderons à régler le vôtre.

— Le chevalier qui fera partie de l'équipe victorieuse sera déclaré vainqueur, dit sire Norbert à son adversaire. Quant au perdant, il sera, bien sûr, condamné à l'exil. La question d'honneur sera alors réglée. Acceptes-tu les termes, Hugues?

Ce dernier hoche la tête.

— Si c'est la manière de régler les questions d'honneur dans cette étrange contrée, alors soit, j'accepte. Norbert, prépare-toi à subir ton destin dans cette bataille de crosse.

Chapitre 6

Les deux équipes se rencontrent dans la zone centrale. Nathan tient quelques brins de gazon. Le chevalier qui gagnera à la courte paille choisira l'équipe avec laquelle il jouera. Simon Sanscœur, son expression dédaigneuse habituelle sur le visage, se tient près de Nathan et fait signe aux chevaliers de s'approcher. Nathan lui a fait croire qu'ils étaient des

joueurs d'une équipe d'adultes, les
Chevaliers-Combattants, et qu'ils ont été
invités pour veiller à ce que les équipes
jouent loyalement.

— Que le meilleur homme gagne... en
choisissant les Maraudeurs! crie Simon.

Les deux chevaliers tirent chacun un
brin. C'est sire Norbert qui tire la plus
longue.

— Je jouerai avec les Étoiles, décrète-t-il en lançant le brin vers Simon. Je n'affectionne pas tellement les vantards.

Les deux équipes prennent place sur le terrain, et les deux chevaliers se font face en attendant la mise au jeu.

Le sifflet de l'arbitre résonne.

— En garde! s'écrie sire Hugues.

Il s'élance vers sire Norbert, levant son bâton de crosse comme une épée.

Sire Norbert écarte agilement le bâton de son adversaire et tente un assaut à son tour. Sire Hugues pare le coup, mais sire

Norbert l'attaque de nouveau. Les deux
chevaliers n'entendent pas les nombreux
coups de sifflet de l'arbitre.

Tout à coup, sire Hugues étire la
jambe. Sire Norbert trébuche sur celle-ci
et tombe bruyamment sur le dos.

Son adversaire pousse un « Ah! ha! » retentissant, puis met un pied sur le ventre de son ennemi pour l'immobiliser au sol. Ce n'est que lorsqu'il place le panier de son bâton sur la gorge de sire Norbert que les deux hommes réalisent qu'ils viennent de combattre avec des bâtons de crosse et non des épées.

— Diantre! lance sire Hugues. Je t'aurais transpercé illico si j'avais eu ma fidèle épée, espèce de camembert desséché.

— Tu en aurais été incapable, même si j'avais été attaché, rétorque sire Norbert en se relevant et en époussetant son derrière.

L'arbitre arrive en

trombe, soufflant dans son sifflet à en perdre haleine.

— Deux minutes de pénalité à chacun pour cinglage... et pour ne pas m'avoir écouté, dit-il d'un ton froissé.

La partie se poursuit donc sans les chevaliers. À la fin du premier quart, le pointage est de 1 à 1.

Au deuxième quart, sire Norbert prend le commandement des Étoiles :

— La cavalerie attaquera sur le flanc gauche et les archers tireront de la droite, ordonne-t-il. Puis, je chargerai au milieu et assurerai la victoire.

— La crosse ne se joue pas exactement comme ça, explique Nathan.

— Sans compter que nous n'avons ni cavalerie ni archers, fait remarquer Félix.

— Je suis un grand stratège, rétorque le chevalier, leur faisant signe de s'éloigner.

L'an dernier, ce plan de bataille m'a valu
la conquête de mon château préféré. Il a
deux fossés.

Ses coéquipiers roulent les yeux, mais
prennent la position qu'on leur a
indiquée. Les droitiers des Étoiles
s'alignent sur la gauche, prêts à charger.

Les gauchers prennent position sur la droite.

Mais sire Hugues a son propre plan. Ayant remporté la mise au jeu, il prend le contrôle de la balle et, son bâton placé sous le bras, comme s'il s'agissait d'une lance, il charge dans la zone défensive.

Il contourne les joueurs adverses à toute vitesse et poursuit sa course vers le filet de Nathan.

Puis il lève son bâton au-dessus de sa tête, comme on le ferait d'une massue, et le fait pivoter à trois reprises.

Voyant le regard féroce du chevalier, Nathan décide qu'il veut garder sa tête et bondit de côté.

Sire Hughes éclate de rire. Ayant cessé de faire tourner son bâton, il marche jusqu'au filet et y lance calmement la balle.

Les Maraudeurs mènent 2 à 1.

Chapitre 7

Durant les troisième et quatrième quarts, sire Norbert et sire Hugues se mettent à jouer réellement à la crosse. Ils ne maîtrisent pas vraiment les règles du jeu, mais ils sont solides et déterminés.

Les deux équipes jouent avec plus d'énergie que d'habitude. Félix est très heureux lorsque le coup de sifflet annonce la fin du match régulier. Le

pointage est maintenant de 3 à 3.

Félix se laisse choir lourdement sur le banc, prend une gorgée d'eau et s'asperge aussi la tête avant de passer la bouteille à sire Norbert.

— La bataille se déroule bien, dit gravement sire Norbert. Ce répugnant et rustre personnage sera bientôt vaincu pour de bon.

— Je ne comprends pas, dit Félix en

secouant la tête. Pourquoi êtes-vous en colère l'un contre l'autre? Qu'est-il arrivé de si grave?

Sire Norbert hausse ses épaules massives.

— Pourquoi? C'est très simple. D'abord, parce que sire Hughes a abandonné son armée sur le champ de bataille. Et aussi parce qu'il a trahi sa reine et son propre frère, quand il nous a laissé nous débrouiller seuls contre l'adversaire.

— Vous voulez dire que sire Hugues est votre frère? demande Audrey, abasourdie.

— Si on peut appeler cet être prétentieux un frère, oui.

— Ce n'est pas comme si j'étais parti de mon propre gré, espèce de crétin, crie sire Hugues en se penchant au-dessus de la paroi qui sépare les deux bancs. Tu m'y as poussé, et tu le sais très bien!

— Moi, je t'y ai poussé?

— C'est quelque chose que tu as dit, réplique sire Hughes. Je t'ai entendu, Norby. Ne le nie pas.

— Tu délires mon vieux! Je ne sais pas de quoi tu parles.

— Vraiment? grogne son frère. Tu ne te rappelles donc pas avoir dit à ton ami, sire David, que je te faisais penser à un chien?

— Ne sois pas ridicule, Hugues! Je n'ai jamais rien dit de tel.

— Si, tu l'as dit! Je l'ai entendu clairement. Nous venions de repousser une attaque à Cap-Perlé, et tu as dit : « Mon frère aboie comme un chien après son os. »

— Je ne t'ai jamais comparé à un chien. En fait, tu es le chevalier le plus distingué que j'aie jamais rencontré.

Sire Norbert réfléchit pendant un moment.

— Oh! je sais ce que tu as dû entendre. Juste avant que tu partes, David, le meilleur de mes éclaireurs, m'a demandé si nous devions faire marche arrière et je lui ai répondu : « Non, fraie la voie comme un chien véloce. » Oui, c'est ce que j'ai dit. Je le jure.

— Euh... hum... bredouille sire Hughes.

Tout cela n'était qu'une bête erreur, alors. J'ai quitté le champ de bataille seulement parce que tu m'avais fait de la peine, tu sais.

— Tu devrais savoir que je ne ferais jamais ça, voyons! Du moins, pas volontairement.

Sire Hugues essuie une larme.

— Je suis navré, Norby.

Tendant le bras au-dessus de la paroi qui le sépare de son frère, sire Norbert lui serre la main.

— Mon frère...

— Mon ami...

Maintenant réconciliés, les deux chevaliers s'éloignent ensemble.

— Quelle scène touchante! se moque Simon. Mais nous avons une égalité à briser. Êtes-vous prêts?

Félix s'avance.

— Pour la prolongation? Nous sommes
prêts. Nous allons enfin savoir qui sont
les vrais perdants.

Les Maraudeurs désignent Simon pour
la mise au jeu. Les Étoiles choisissent
Laurie. Les deux adversaires se regardent
droit dans les yeux, de chaque côté de la

ligne centrale.

Félix prend une grande inspiration et se place en position. Se balançant légèrement sur les orteils, il se prépare à courir, quelle que soit la direction que prendra la balle.

Le sifflet de l'arbitre retentit.

Elmer-le-Borgne, qui assiste au match depuis les estrades, active le système sonore de l'aréna et entreprend de décrire le jeu. Sa voix résonne dans les haut-parleurs, forte et claire :

« Crochet est la première à toucher la balle pour les Étoiles, mais... arrrg! elle ne réussit pas à la contrôler. Sanscœur

ramasse la balle et fait
une passe à
Tremblay, qui la
lance vers le
filet! La balle
file vers le coin
supérieur
gauche! Et c'est un arrêt de Villeneuve!

« Michaud s'empare de la balle. Il
cherche des yeux un joueur à découvert.
Il aperçoit Bourgeois et lui passe la balle.
Bourgeois à Goudreau, Goudreau à
Crochet. Elle lance! Oh! À côté du filet.

« Baie-Trinité a la balle. Les Étoiles adoptent le style du un contre un. Les Maraudeurs sont incapables d'effectuer un lancer franc. Sanscœur feinte à gauche, puis effectue une passe rapide

vers la droite! Tremblay attrape la balle et s'élance vers le filet. Oooh! Ça y était presque, mais Villeneuve effectue un arrêt spectaculaire avec l'épaule et garde la balle en jeu.

« Villeneuve passe la balle à Crochet. Crochet à Michaud. Michaud à Bourgeois. Bourgeois fonce dans la zone d'attaque, mais on la bloque. Elle fait une courte passe à Michaud. La passe est trop basse. Michaud ne réussit pas à la récupérer! C'est Sanscœur des Maraudeurs qui s'en empare...

Mais... que se passe-t-il? Il l'a échappée!
Sanscœur a échappé la balle!

« Michaud et Sanscœur se dispute la
balle. Michaud réussit à la libérer. Quel
beau coup! La balle roule en direction de
Crochet, qui la saisit et... wow! un
superbe lancer! La balle s'enfonce dans le
filet! Les Étoiles ont remporté la victoire! »

Les Étoiles poussent un cri retentissant
pendant que Simon Sanscœur lance son
bâton sur le sol et enlève ses gants.

— Je vais vous apprendre, moi! beugle-

t-il en se précipitant vers Félix.

Sire Hugues, qui était assis dans les gradins, saute sur le terrain. Il soulève Simon par le col de son chandail.

— Un instant, jeune homme! Tu as perdu une partie qui s'est déroulée dans les règles. L'honneur exige que tu concèdes la victoire. Excuse-toi, maintenant.

— Oui, monsieur, murmure Simon. Je suis vraiment désolé, ajoute-t-il en se tournant vers Félix.

Aussitôt, sire Hugues pose le jeune garçon par terre.

Les Étoiles crient de joie tandis que les Maraudeurs de Baie-Trinité quittent l'aréna.

Chapitre
8

Félix et Nathan rentrent chez eux.

— Et les chevaliers? demande Nathan.
Qu'est-ce qui va leur arriver?

— Oh, je me suis arrangé avec les
pirates. Il paraît que sire Hugues et sire
Norbert ont toujours désiré diriger une
foire publique. Tu sais, dans le genre parc
d'attractions thématiques : « Chevaliers du
Moyen Âge – Joignez-vous à la joute! »

Sire Hugues et Barbe Noire-et-Bleue sont en train d'élaborer un plan d'affaires.

— Je ne crois pas que ce soit une bonne idée, Félix.

— Pourquoi dis-tu cela?

— À toi d'en juger, réplique Nathan en montrant le stationnement du doigt.

Sous la lumière d'un réverbère, sire Hugues et Barbe Noire-et-Bleue, une épée à la main, sont en train de combattre.

La voix râpeuse de Barbe Noire-et-Bleue parvient jusqu'aux deux garçons. Il peste contre sire Hugues :

— Espèce de puce de sable lâche et malhonnête!

Puis c'est au tour de sire Hugues :

— Comment osez-vous tenter de m'escroquer, vieux loup de mer puant!

Félix éclate de rire.

— On croirait entendre les Étoiles et

les Maraudeurs!

Nathan hoche la tête.

— Alors ils sont engagés dans une
longue et pénible bataille...